Süße Fohlen

Friendz

Große Pferde, kleine Ponys

Groß oder klein: Hauptsache, Pferd!

Vor langer Zeit gab es nur eine Pferdeart: die Urpferde. Sie waren klein und alle hellbraun. Sie lebten wild, bis sie vom Menschen gezähmt wurden. Seitdem haben sich unzählige Rassen – vom kleinen Shetty-Pony bis zum riesigen Shire Horse – entwickelt.

Mama ist ein Schecke, das Fohlen ein Fuchs – Shettys gibt es in allen Farben.

Warmblutpferde wie diese zwei gehören zur meistverbreiteten Pferderasse.

„Mami, was macht der komische Mensch mit der Kamera hier?"

Für Fohlen ist es ganz wichtig, mit anderen Pferden und vor allem mit Pferdekindern zusammen aufzuwachsen. Nur dann entwickeln sie sich richtig.

Familie

Diese Schwarzen mit Puscheln an den Füßen sind übrigens Friesenpferde.

Licht, Luft, Sonne, Mama, Freunde und eine große Wiese: Das macht Fohlen glücklich. Ab und zu ein Schluck aus Mutters Milchquelle – und dann wieder ab zum Spielen und Raufen und Rennen und Schmusen mit den anderen! Dabei bauen die Kleinen ihre Muskeln auf, damit sie später einmal große, kräftige Pferde werden.

Wer ist der Schnellste in der Fohlenherde?

Nicht ohne meine

Mama!

Die Pferdemama wälzt sich, das Kleine schaut zu – und lernt von ihr. Bald wird es sich auch wälzen.

„Mami, spiel mit mir! Mir ist langweilig!"

Wenn Fohlen geboren werden, wissen sie noch gar nicht, dass sie Pferde sind. Und sie haben auch keine Ahnung, wie man sich als Pferd benimmt. Doch sie lernen es ganz schnell. Ihre Mütter machen es ihnen nämlich vor. Pferdemamas sind für ihre Kinder auch ganz wichtig, weil die Kleinen in den ersten Monaten fast nur von ihrer Milch leben. Selbst Gras fressen müssen sie von ihren Müttern lernen.

Am Anfang ist die Mutter am wichtigsten für das Pferdekind. Pferdemütter passen gut auf ihre Kinder auf und sind immer mit ihnen zusammen.

Füchse, Braune und andere

Willst du ein richtiger Pferdekenner sein? Dann musst du den Unterschied zwischen einem Braunen und einem Fuchs kennen. Aber das ist gar nicht so schwer: Ein Brauner ist ein braunes Pferd, bei dem Mähne und Schweif schwarz sind. Ein Fuchs ist ebenfalls ein braunes Pferd, aber bei ihm sind Mähne und Schweif entweder ebenso braun wie das Fell oder heller. Es ist also ganz einfach – wenn man es weiß.

Schimmel werden dunkel geboren und erst später weiß.

Schwarze Pferde nennt man Rappen.

Bei den meisten Rassen sind sie selten. Nur bei Friesen nicht: Die sind alle schwarz.

Goldig

Goldfarbene Pferde heißen Falben. Hellbraun mit Schwarz ist übrigens die Urfarbe des Pferdes.

Ob Pünktchen oder große Farbflächen: Pferde, die verschiedene Farben im Fell haben, sind Schecken. Jedes hat ein eigenes Muster.

Die Lieblingspferde der Indianer: Appaloosas. Sie wurden früher nur von Indianern gezüchtet und waren fast alle Schecken mit lustigen Punkten.

Und die zwei Plattenschecken hier sind irische Tinker-Ponys.

Was Fohlen futtern

Gar nicht so einfach: Die Fohlenbeine sind noch zu lang!

Frisches Gras schmeckt – aber wie drankommen?

In den ersten Wochen bekommen Fohlen alles, was sie brauchen, an Mutters Milchtankstelle. Aber dann werden sie neugierig auf die grünen Halme, die die Mama immer frisst, und wollen sie auch probieren. Doch um an Gras zu kommen, müssen sie erst wachsen.

Während das Kleine Milch trinkt, passt die Pferdemutter ganz besonders gut auf.

Mamas Milch

In Stutenmilch steckt Kraft: Sie ist süß und fett, damit die Fohlen Energie zum Wachsen haben.

Die Milch macht's!

Ich will Spaß!

Pferdekinder haben es echt gut: Sie müssen nicht in der Schule still sitzen, sondern dürfen den lieben, langen Tag auf der Wiese spielen. Dabei macht ihnen Rennen besonderen Spaß. Kaum kommen sie morgens aus dem Stall, sausen sie schon los – wozu hat man denn so lange Beine, wenn nicht zum Rumtoben?

Blitzstart
Und los geht's!

Zu zweit macht's doppelt Spaß.

Auch kleine Pferde brauchen Spielkameraden. Wenn kein anderes Fohlen da ist, muss schon mal die Mutter herhalten – und außerdem ist es ja immer spannend, was sie so treibt. Schließlich kann man von ihr echt was lernen.

Du und ich –

Freunde

Freunde gehören zusammen.

Hm, Fellkraulen beim Kumpel ist schön!

Fohlen mögen wilde und milde Spiele: Schmusen, Raufen, Balgen, Rennen, Einanderbeschnuppern, Fellkraulen, Zeigen, wer der Größte ist – es kommt nie Langeweile auf.

Im Bereich der Nase hat jedes Pferd seinen ganz eigenen Geruch. Darum begrüßen sich schon Fohlen, indem sie aneinander riechen. So können sie sich immer wiedererkennen.

Vor allem Pferdejungen raufen sehr gerne miteinander.

Pferde und andere Tiere

Eigentlich haben Pferde vor Hunden Angst. Wenn sie sich aber schon als Fohlen an Hunde gewöhnen, können sie ganz dicke Freunde werden. Katzen mögen fast alle Pferde. Sie sind kuschelig, sanft – und man kann wunderbar mit ihnen schmusen.

Viele Pferde mögen Hunde. Dennoch sollte man nie einen fremden Hund auf die Koppel lassen!

Fotonachweis:
Juniors Bildarchiv: Titelbild, S. 2, S. 3 (re. o.), S. 11 (re. o.), **Sorrel:** S. 4 (li. o.), S. 5, S. 6, S. 7, S. 8 (beide), S. 9, S. 10 (beide), S. 11 (li. u.), S. 12, S. 13 (beide), S. 14 (beide), S. 15 (beide), S. 16, S. 17 (beide), S. 18, S. 19 (beide), **Tierfotoagentur.de:** S. 3 (li. u.), S. 4 (re. u.)